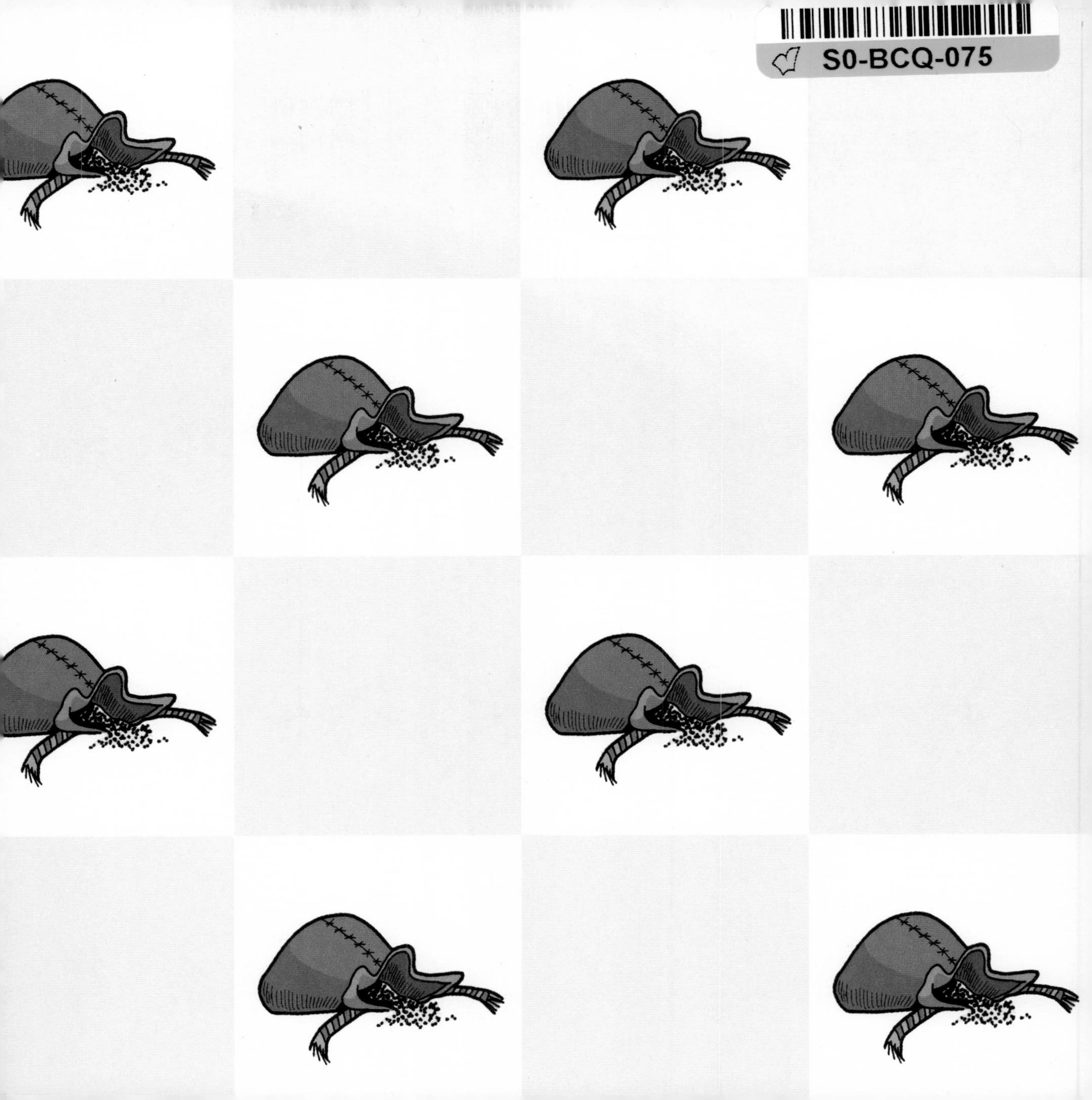

editorialSol90

CUENTOS INFANTILES

ISBN: 84-96412-75-X
Depósito legal: M-2580-2005

Idea y concepción de la obra: **Editorial Sol 90, S.L.**
Coordinación editorial: **Emilio López**
Adaptación literaria: **Alberto Szpunberg**
Ilustraciones: **Lancman Ink.**
Diseño: **Jennifer Waddell**
Diagramación: **Teresa Roca**
Revisión editorial: **Santillana Ediciones Generales, S.L.**
Producción editorial: **Montse Martínez, Marisa Vivas, Xavier Dalfó**
Impreso y encuadernado en UE, julio 2005

Cuentos Infantiles
EL PAIS

Alí Babá y los 40 ladrones

Anónimo

Ilustrado por Lancman Ink.

Hace muchos, pero que muchos años, había un leñador muy trabajador, pero muy pobre, que se llamaba Alí Babá.

Por el contrario, Kassim, su hermano, era poco trabajador, pero muy rico y codicioso.

Un día en que Alí Babá estaba cortando leña en el bosque, oyó un gran ruido. Se subió a un árbol y se escondió entre las ramas. Desde allí vio cómo se acercaban 40 jinetes y se detenían de golpe, entre relinchos, gritos y risotadas, ante una inmensa roca.

"Son ladrones...", pensó Alí Babá, y se ocultó aún más detrás de las hojas.

El leñador no se equivocó.

–¡Sésamo: ábrete! –gritó el jefe de los ladrones a la roca.

Y, para asombro de Alí Babá, la roca se abrió por el medio.

Una vez que los 40 ladrones entraron en lo que era una cueva, el leñador oyó que el jefe volvía a gritar desde dentro:

–¡Sésamo: ciérrate! –y la roca se cerró.

"Es una fórmula mágica…", pensó el leñador.

Al poco tiempo, los 40 jinetes salieron de la cueva en tropel. Tras un "¡Sésamo: ciérrate!" pronunciado por el jefe, la roca se cerró.

Los 40 ladrones se alejaron del lugar. El leñador, temeroso, bajó del árbol y se acercó a la roca. Y, ni corto ni perezoso, exclamó:

–¡Sésamo: ábrete! –y la roca volvió a abrirse.

Intrigado por un resplandor que provenía del interior, Alí Babá entró en la cueva.

Ante los ojos de Alí Babá se levantaba una montaña de joyas, monedas de oro y piedras preciosas. Sin duda, fruto de las andanzas de los ladrones, allí se escondía el tesoro más grande del mundo.

Alí Babá cogió su bolsa y la llenó de monedas de oro, rubíes y diamantes. No demasiado: solo lo suficiente como para asegurar la comida de su familia por un año.

–¡Sésamo: ciérrate! –exclamó Alí Babá una vez que estuvo fuera de la cueva.

Cuando vio que la roca se cerraba, se encaminó hacia el pueblo.

En cuanto llegó a su casa, le mostró a Luz de Noche, su esposa, las riquezas recogidas.

–¡Alí Babá! –se echó a llorar la mujer–. ¿A quién le has robado?

El leñador se echó a reír y le contó la increíble historia.

Al día siguiente, deseosa de saber cuánta riqueza tenían, Luz de Noche decidió pesar su tesoro. Fue hasta la casa de Kassim y pidió prestada una balanza.

–¿Para qué quieres tú una balanza si nunca tenéis ni una migaja de pan? –le preguntó, intrigada, la esposa de Kassim.

–Pues... –balbuceó la esposa de Alí Babá–. Para pesar unos sacos de trigo que nos han regalado...

Desconfiada, la mujer de Kassim le dio a Luz de Noche una balanza, no sin antes untar los platillos con grasa:

"Así sabré de qué granos de trigo se trata…".

En efecto. Luz de Noche pesó las monedas de oro y las piedras preciosas y devolvió la balanza. Pero en uno de los platillos quedó pegado un diminuto rubí.

"¡Así que estos son los granos de trigo!", se dijo la cuñada, y le enseñó a su esposo el rubí.

Kassim corrió hasta la casa de su hermano y le pidió explicaciones. Alí Babá pensó que lo mejor era contarle la verdad. Y así lo hizo.

Llevado por la codicia, Kassim corrió hasta la cueva, se paró ante la roca y exclamó:

–¡Sésamo: ábrete! –y la roca se abrió.

Kassim metió en un montón de bolsas todo el tesoro. Pero, en el momento de salir, alterado por la avidez, se equivocó:

–¡Calabaza: ábrete! –y la roca, claro está, no se abrió.

Tras insistir inútilmente: "¡Calabaza: ábrete! ¡Zanahoria: ábrete! ¡Trigo: ábrete! ¡Patata: ábrete!...", la roca se abrió, pero solo porque fuera sonó la fórmula precisa:

–¡Sésamo: ábrete!

Era el jefe de los bandidos, quien, al ver a Kassim, exclamó sorprendido:

–¿Cómo habrá entrado este infeliz en la cueva? ¡Será convertido en estatua!

El jefe de los ladrones le echó unos polvos mágicos y el cuerpo de Kassim se convirtió en una estatua. Luego, ordenó:

–¡Ahora, vayamos a continuar con nuestra tarea!

Y los 40 ladrones, tras cerrar la cueva con un: "¡Sésamo: ciérrate!", se marcharon para proseguir con sus robos y saqueos.

Extrañado por la desaparición de Kassim, Alí Babá se dirigió a la cueva. Al entrar, se encontró con su hermano, convertido en estatua, que yacía sobre el oro y las piedras preciosas.

Llorando, Alí Babá se llevó a Kassim a su casa para enterrarlo.

–Si decimos qué le ha pasado –dijo Alí Babá–, todo el mundo se enterará de la existencia del tesoro y, como siempre, terminará en las arcas del rey.

–Digamos que murió de muerte natural –dijo Luz de Noche.

–Todos pensarán que nadie se convierte de repente en una estatua...
–le respondió Alí Babá.

–Yo lo resolveré –afirmó su esposa, y se fue en busca de un vecino que era pintor.

–Te daré una moneda de oro si me dejas vendarte los ojos –le dijo Luz de Noche–. No debes saber dónde te llevo... Trae tus pinceles y tus pinturas...

El artista, que nunca había visto una moneda de oro en su vida, aceptó de inmediato. En casa de Alí Babá, por igual motivo, también aceptó hacer lo que nunca había ni siquiera imaginado: pintar una estatua para que pareciera el cuerpo de un ser humano.

–No cuentes a nadie lo que has hecho –le ordenó Luz de Noche y le dio una nueva moneda de oro. Después volvió a llevarlo, con los ojos vendados, hasta su taller.

Sin advertir nada extraño, los vecinos y amigos velaron el cadáver de Kassim.

–Pobre hombre –comentaron–. ¡Tan joven y morir de repente!

Cuando los 40 ladrones volvieron a la cueva, advirtieron que el cuerpo de Kassim no estaba.

–¡Maldición! –bramó el jefe–. Si alguien se ha llevado el cuerpo, eso significa que hay otro que conoce el secreto. Que uno de vosotros vaya al pueblo y lo encuentre. ¡También lo convertiré en estatua!

Tras ir preguntando casa por casa, uno de los ladrones no tardó en llegar al taller del pintor.

–Estoy buscando una estatua –dijo el bandido.

Temblando de miedo, el pintor contó:

–Sé a qué te refieres... No sé dónde ha ido; pero, si me vendas los ojos, me guiaré por el olfato...

El pintor y el ladrón recorrieron varias calles y se detuvieron frente a una casa.

–Huele a leña... –olfateó el hombre–. ¡Es aquí!

–Marcaré la puerta con una cruz –se dijo el bandido–. Esta noche vendremos todos y le ajustaremos las cuentas a quien sea.

Luz de Noche, que había escuchado todo, salió a la calle. A escondidas, marcó una cruz similar en todas las puertas.

Por la noche, cuando volvieron los bandidos, quedaron desconcertados.

–¿Cuál es la casa? –se impacientó el jefe.

–La que tiene una cruz... –balbuceó el ladrón.

–¡Todas tienen una cruz, idiota! –tronó el jefe–. ¡Ya te ajustaré las cuentas!

Todos los ladrones sintieron que un escalofrío los recorría de pies a cabeza.

–Mañana –tronó el jefe–, yo mismo vendré y le vendaré los ojos a ese maldito pintor.

Al día siguiente, el jefe entró en el taller del artista. Le bastó apoyar la mano en la empuñadura de su espada para que el pintor se dejase vendar. Y juntos salieron rumbo a la casa de Alí Babá.

El jefe de los ladrones observó la vivienda del leñador y se dijo:

–Ahora soy capaz de reconocer la casa entre diez mil parecidas –y volvió a la cueva para reunirse con sus secuaces.

Allí les explicó su plan:

–Mañana me disfrazaré de vendedor de aceite. En cada caballo cargaré dos tinajas vacías y, en cada tinaja, se esconderá uno de vosotros. Convertiré en estatua a quien descubrió nuestro secreto y, si es necesario, al pueblo entero.

Al día siguiente, ocultos en las tinajas, los ladrones entraron en el pueblo. Nadie dudó de que, en efecto, se trataba de un vendedor de aceite muy bien surtido.

Nada más llegar los bandidos a la casa de Alí Babá, el falso aceitero pidió permiso para entrar.

–Adelante –le dijo Alí Babá, y lo invitó a comer dulces y licores.

Por la noche, en el momento de encender las lámparas, Luz de Noche advirtió que en casa no quedaba ni una gota de aceite.

"Suerte que está en casa el aceitero –pensó, y con un pesado cucharón de cobre, se dirigió hacia las tinajas–. Mañana le pagaré lo que haya usado para las lámparas".

Luz de Noche se acercó a una de las tinajas. Al levantar la tapa, casi se cae de espaldas: ante ella se asomaba... ¡la cabeza de uno de los ladrones!

Más sorprendido que Luz de Noche, el bandido no pudo decir nada. Un golpe certero de cucharón lo devolvió al fondo de la tinaja.

Luz de Noche revisó una por una las restantes tinajas, y en todas le pasó lo mismo. Enfadada, fue hasta donde dormía el falso aceitero.

–Es una vergüenza –vociferó la esposa de Alí Babá–. No he encontrado ni una miserable gota de aceite en ninguna de tus tinajas...

Sorprendido en su sueño, el jefe de los bandidos no atinó más que a echar mano a los polvos mágicos que ocultaba entre sus ropas. Pero un golpe de cucharón trastocó todos sus planes.

Alí Babá, sorprendido por el ruido, saltó de su cama y fue corriendo.

–¡Luz de Noche! –exclamó–. ¿Así tratas a nuestro huésped?

Su esposa le explicó entonces lo sucedido. Luego, el leñador cogió unas cuerdas y ató al jefe de los bandidos.

El jefe se quedó aturdido por el golpe y se debatía inútilmente entre sus ataduras. Los demás ladrones, al verlo, se lanzaron a la calle y huyeron despavoridos.

Pero no llegaron muy lejos. Los vecinos, alertados por el tumulto, los atraparon.

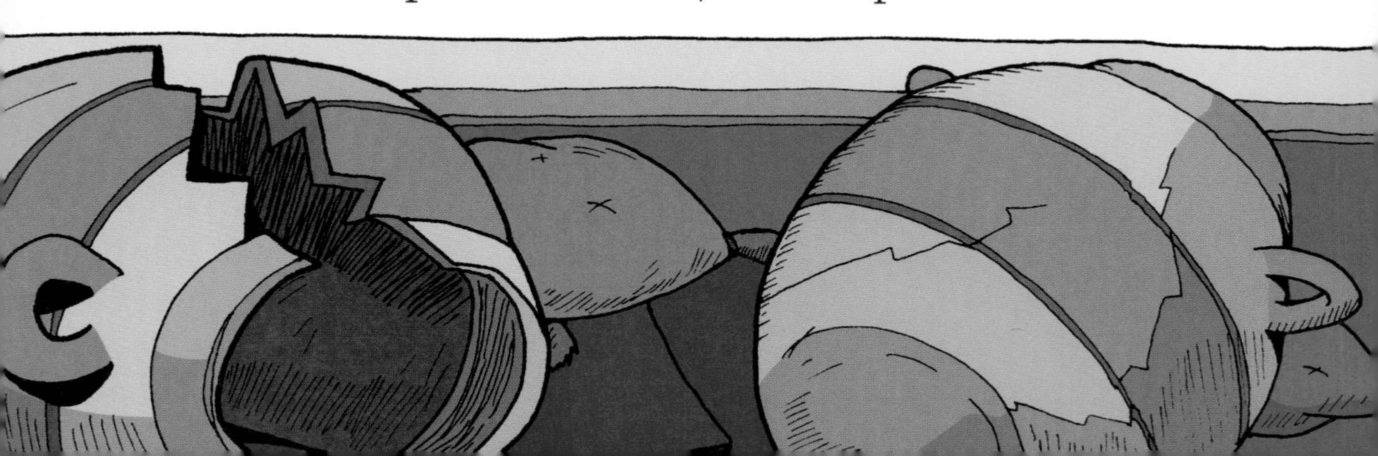

Al día siguiente, Alí Babá fue al palacio. Y avisó a la guardia real que una feroz banda de ladrones se hallaba en poder de los vecinos del pueblo.

El rey envió a sus guardianes para que los condujesen al lugar donde siempre debieran haber estado: la prisión.

–¿Quieres alguna recompensa? –le preguntó el rey a Alí Babá.

–No –respondió el leñador–. Mi esposa y yo solo hemos cumplido con nuestro deber. Y no solo nosotros: todos los habitantes del pueblo han sido decididos y valientes por igual...

Por supuesto, Alí Babá se cuidó mucho de contarle al rey el inmenso tesoro que se escondía en la cueva.

"Ya tiene bastantes riquezas", pensó el leñador.

No hizo lo mismo con los vecinos. Ellos, humildes como eran, tenían más derecho que nadie a aliviar sus penurias. Así es como, hasta ahora, el tesoro sigue brindando la más preciada de sus riquezas, que es este cuento.

–¡Sésamo: ciérrate!

Y colorín colorado, este cuento se ha cerrado.

fin

Actividades

Busca las diferencias

Estos dos dibujos parecen iguales, pero entre ellos hay cinco diferencias. Señálalas con un círculo en la ilustración de la derecha.

¡Vaya desorden!

Reconstruye las siguientes palabras que aparecen en el cuento, ordenando correctamente sus letras.

ñ e l a = ____________________

u e v a c = ____________________

m o e n d a s = ____________________

S é m o s a = ____________________

¿Sabías qué...?

Sésamo, además de ser la palabra mágica que abría la cueva de los ladrones del cuento, es una pasta de almendras, nueces o piñones con ajonjolí. Las pepitas de los panecillos de las hamburguesas son sésamo.

¿Recuerdas?

No te resultará difícil contestar a estas preguntas si recuerdas bien lo que sucede en el cuento. Marca con una cruz la respuesta correcta.

(1) ¿Qué le pide prestado Luz de Noche a la esposa de Kassim?

☐ Una balanza.
☐ Un vestido.
☐ Un poco de azúcar.

(2) ¿De qué se disfraza el jefe de los ladrones?

☐ De mago.
☐ De vendedor de aceite.
☐ De estatua.

(3) ¿Quién atrapa a los 40 ladrones cuando huyen?

☐ Los vecinos del pueblo.
☐ La policía.
☐ Los soldados del rey.

Busca y encontrarás

Fíjate bien en el dibujo, no te equivoques al contar y escribe el número donde corresponda.

(1) ¿Cuántos hombres tienen bigote?

(2) ¿Cuántos hombres llevan espadas?

(3) ¿Cuántos cofres hay?

(1) ________

(2) ________

(3) ________

Vamos a contar

Cuenta las personas que hay en cada uno de los dibujos y escribe cuántas son dentro de los círculos.

El crucigrama

Lee las frases atentamente y escribe las soluciones en las casillas numeradas.

Horizontales

(1) El jefe de los ladrones convirtió a Kassim en...
(2) La palabra mágica que abría la cueva.
(3) Luz de Noche la pidió prestada.

Verticales

(1) Oficio de Alí Babá.
(2) Así se llamaba el hermano de Alí Babá.
(3) Una inmensa ... tapaba la entrada de la cueva.

	1			2					
1									3
			2						
		3							

Completa

Al copiar el párrafo de la página 18 han volado algunas palabras rebeldes. ¿Puedes volver a colocarlas en su sitio?

–Si decimos qué le ha pasado –dijo Alí Babá–, todo el ____________ se enterará de la existencia del ____________ y, como siempre, terminará en las ____________ del rey.

–Digamos que ____________ de muerte natural –dijo Luz de Noche.

–Todos pensarán que nadie se convierte de repente en una ____________ ... –le respondió Alí Babá.

arcas

mundo

tesoro

murió

estatua

Soluciones

Página 38

Página 39

leña, cueva, monedas, Sésamo

Página 40

(1) Una balanza. **(2)** De vendedor de aceite. **(3)** Los vecinos del pueblo.

Página 41

(1) 9 bigotes. **(2)** 4 espadas. **(3)** 2 cofres.

Página 42

De izquierda a derecha y de arriba abajo: **2, 6, 8, 12, 3, 1.**

Página 43

	1			2					
	L			K					
1	E	S	T	A	T	U	A		3
	Ñ			S					R
	A		2	S	É	S	A	M	O
	D			I					C
	O			M					A
	R								
		3	B	A	L	A	N	Z	A